VII

VI

V

IV

III

Bart.ᵉ Murillo seipsum depin
gens pro filiorum votis ac preci
bus explendis

Relación de ilustraciones

Índice

Alianza Cien
pone al alcance de todos
las mejores obras de la literatura
y el pensamiento universales
en condiciones óptimas de calidad y precio
e incita al lector
al conocimiento más completo de un autor,
invitándole a aprovechar
los escasos momentos de ocio
creados por las nuevas formas de vida.

Alianza Cien
es un reto y una ambiciosa iniciativa cultural

ENRIQUE VALDIVIESO

Murillo

Alianza Editorial

Diseño de cubierta: Ángel Uriarte
Ilustración de cubierta: Murillo. *Dos mujeres a la ventana.*
Galería Nacional. Washington. Fotografía Oronoz

1. Sevilla en la época de Murillo: una ciudad en crisis

Los años que señalan el nacimiento y la muerte de Murillo (1617-1682) coinciden con una época de marcado decaimiento económico en la vida española y en consecuencia también en el pálpito de la ciudad de Sevilla. Ciertamente esta población comenzó, a partir de las primeras décadas del siglo XVII, un lento pero progresivo declinar que la llevó a estados de gran postración. Cuando Murillo inició su andadura como artista, hacia 1645, la ciudad era ya una sombra declinante en comparación con lo que había sido el siglo anterior, el esplendoroso siglo XVI, cuando en la época del emperador Carlos I y después en la de su hijo Felipe II conoció la prosperidad y la riqueza. En aquella época Sevilla había sido el bullicioso puente que mantuvo una incansable actividad comercial con América y con Europa y, por lo tanto, a ella llegaban y de ella salían cargamentos de todo tipo que tanto en metales preciosos como en valiosas materias primas o manufacturadas eran susceptibles de transformarse en abundantes caudales monetarios.

Este halagüeño esplendor suministró prósperos beneficios a todos los habitantes de la ciudad siguiendo lógicamente una gradación que escalonaba las ganancias de más a menos a lo largo de la jerarquía social. Ciertamente, los ricos, mercaderes y banqueros, recogían ingentes beneficios muy superiores a los modestos salarios de los operarios y artesanos. Pero hubo tal prosperidad material y cultural, que algunos intelectuales sevillanos hablaron de estar viviendo en una nueva Roma.

Sin embargo, desde comienzos del siglo xvii, a partir del reinado de Felipe II, comenzó a advertirse un paulatino decaimiento en la actividad de la ciudad. Progresivamente, el comercio con América fue perdiendo vitalidad y al puerto del Guadalquivir llegaban cada vez con menos frecuencia los metales preciosos y las materias de consumo. Al mismo tiempo que decayó la ciudad se fue advirtiendo cómo también se desmoronaba el imperio hispano que mantenía una obstinada política de guerras exteriores que lamentablemente se iban perdiendo, al igual que los caudales que se invertían en su mantenimiento. Este estado de empobrecimiento general del país empujó aún más la decadencia de Sevilla, que vio, poco a poco, cómo se extinguía su antiguo esplendor.

Sin embargo, el vivir modesto y comedido de la ciudad del Guadalquivir hubiera sido perfectamente soportable en medio de la que fue irreparable y progresiva crisis, pero malhadadas circunstancias se ensañaron además con lo que era ya una ciudad infortunada. Así, en 1649 la población hubo de soportar una espantosa peste que afectó a la mitad de sus moradores, ya que segó la vida de unas 60.000 personas de las 120.000 que en ella habitaban. Quedó así la ciudad desmantelada de vidas humanas y como consecuencia de ello perdió gran parte de sus recursos y de su actividad creativa, tanto en inteligencias gestoras como en mano de obra. Perdió Sevilla la mayor parte de sus sistemas de productividad y también su capacidad de generar los suministros con que mantener a la población. Comoquiera que a esta situación se añadió la desgracia de sucesivas malas cosechas, comenzó a sentirse el hambre y a extenderse la pobreza. El Ayuntamiento, arruinado, a duras penas pudo sufragar remedios que paliasen las necesidades de la población y las instituciones religiosas, también afectadas por la crisis, tampoco podían dar más que restringidas raciones de pan y sopa a las multitudes hambrientas que se agrupaban a las puertas de los conventos.

De todas formas, las consecuencias de las desgracias que padeció la ciudad recayeron especialmente sobre las clases sociales más débiles, ya que la burguesía, la aristocracia y el clero pudieron escapar de la incidencia dolorosa de la adversidad. Y si bien estas clases altas no dispusieron de tantos recursos como en épocas anteriores, tuvieron la fortuna de eludir la desgracia, aunque también fueron lo suficientemente responsables como para entender que debían de contribuir con sus caudales a remediar las calamidades imperantes. Así, la Iglesia desempeñó un papel importante en el intento de paliar el hambre, y la nobleza, agrupándose en instituciones como la Santa Caridad, suministraba ayuda a los menesterosos y enfermos en centros hospitalarios. Aportaciones procedentes de mercaderes, banqueros y prósperos artesanos fueron también fundamentales en el intento de remediar lo que ciertamente fueron tiempos difíciles.

Los sectores pudientes de la sociedad sevillana participaron también en un proceso de creatividad artística que fundamentalmente tuvo una orientación religiosa. La propia Iglesia y algunos ciudadanos notables emprendieron un amplio proceso de construcción de edificios religiosos que adornaron con profusión de retablos y espléndidas pinturas. De todas formas, el condicionamiento de la actividad económica impuso que todo tipo de creación artística se realizase con moderación en el gasto y con voluntario rechazo de lo superfluo y ostentoso. Esta intensa actividad creativa de carácter artístico-religioso permitió mantener a numerosos sectores de la población, advirtiéndose cómo parte de los beneficios obtenidos por la aristocracia, los banqueros, comerciantes y clérigos terminó revirtiendo hacia estamentos inferiores de la sociedad, a los que permitió vivir de forma modesta y comedida. La mayoría de los artistas y artesanos percibió salarios muy bajos y sólo algunos de ellos, entre los cuales se encontraba Murillo, pudieron adquirir una discreta fortuna y alcanzar fama y renombre.

Fue la Iglesia, por lo tanto, la institución que más promovió la circulación de caudales merced a las permanentes inversiones que realizó en promover manifestaciones artísticas. Ello fue necesario en un mundo en el que se produjo una intensa renovación del pensamiento religioso, que pasó del rigor y de la severidad mantenida en los primeros tiempos de la Contrarreforma a difundir una religiosidad más vibrante y efusiva, lo que permitió al arte, y sobre todo a la pintura, expresarse en términos de mayor ternura y afectividad, circunstancia en suma que conectó de lleno con el arte amable y popular que practicó Murillo.

Es de entender, por lo tanto, que, en una época presidida por la adversidad material, el pueblo encontrase consuelo y alivio en la religión y que también pretendiese obtener amparo y protección de los personajes celestiales. Hubo en esta época necesidad de crear un tipo de imágenes que mostrasen apariencia compasiva y afectuosa hacia unas gentes que sucesivamente habían padecido la peste, sequías, inundaciones, carestía y hambre. Estas imágenes fueron creadas por Murillo con la intuición excepcional que le permitió plasmar un conjunto de seres celestiales cuya fisonomía mostraba gestos acogedores y compasivos que transmitían esperanza y consuelo a quienes los contemplaban. Ello justifica que fuese el pintor preferido por la clientela a lo largo de la mayor parte de su carrera artística.

2. Breve perfil biográfico

La primera noticia conocida sobre la vida de Murillo la proporciona su partida de bautismo, que está fechada el día 1 de enero de 1618, según consta en el archivo de la antigua parroquia de la Magdalena de Sevilla. Este dato nos mueve a tener que situar el nacimiento del futuro artista en los últimos días del mes de diciembre del año 1617, teniendo en cuenta sobre todo que en esta época se bautizaba a los niños en días inmediatos a su nacimiento. Sus padres, Gaspar Esteban y María Pérez Murillo, vieron culminar con este nacimiento el proceso de una larga descendencia, ya que Bartolomé Esteban, nombre que impusieron al niño, vino a ser el último de catorce hermanos. No parece que el acomodado matrimonio pudiera haber tomado conciencia alguna de que este hijo fuese a alcanzar altos niveles de fama en el ambiente artístico sevillano, en el que utilizó para denominarse el segundo apellido de la madre siguiendo la amplia libertad en el uso de los apellidos que había en aquella época.

El padre, Gaspar Esteban, fue un hombre de discreta fortuna, materializada a través del ejercicio de la profesión de barbero-cirujano, cuya casa familiar estaba adosada a la puerta del convento de San Pablo. Su bonanza económica le permitió mantener sin problemas a su numerosa prole, que daría a su hogar una animada vitalidad en la que el niño Bartolomé vivió apaciblemente hasta que cumplió los diez años de edad. La muerte de su padre en 1627 y la de su madre en 1628 truncó su apacible existencia, dejándole en la orfandad, motivo por el que pasó a ser tutelado por Juan Agustín de Lagares, marido de su hermana Ana, y a tener que compartir en un hogar diferente su vida con los hijos de este matrimonio. Nada se sabe de las circunstancias de la vida del joven Bartolomé en su nueva familia, pero no debieron de ser nada adversas, ya que cuando su cuñado redactó su testamento en 1656 le nombró albacea, dato que testimonia que sus relaciones hubieron de estar presididas por el mutuo afecto.

De la infancia y juventud de Murillo es muy poco lo que conocemos actualmente, porque se carece de datos documentales referidos a esta época. Únicamente en 1633 nos encontramos con una referencia de interés que informa que cuando tan sólo contaba con quince años estuvo a punto de embarcar hacia América en compañía de su hermana María y el esposo de ésta, el doctor Jerónimo Díaz de Pavía. Sin embargo, el viaje no debió de llegar a realizarse.

Hacia 1635 debió de iniciar Murillo su aprendizaje como pintor, siendo muy probable que su maestro fuese Juan del Castillo, que estaba casado con una prima suya. Este leve vínculo familiar fue razón más que suficiente para entablar con Castillo una relación laboral y artística que se prolongaría durante unos seis años, como era habitual en aquella época. Juan del Castillo fue un artista de segundo orden, que apenas destaca dentro de la historia de la pintura sevillana, pero sus personajes representan una marcada afabilidad expresiva en su fisonomía, característica que el joven discípulo aprendió y recreó en el futuro con extraordinaria fortuna.

Nada más sabemos de los años juveniles de Murillo, aunque se ha hablado de un viaje realizado en 1642 a Madrid, donde se dice que trató a Velázquez y donde planeó realizar un viaje a Italia. Pero estas noticias nunca han podido ser confirmadas y hemos de esperar hasta 1645 para disponer de un dato fundamental en la vida del artista. En efecto, en este año, cuando contaba con veintisiete años de edad, Murillo contrajo matrimonio en la iglesia de la Magdalena de Sevilla, siendo ambos contrayentes vecinos de la misma parroquia, por lo que es normal que sus respectivos familiares se conociesen desde muchos años antes.

La boda de Murillo estuvo precedida de unas circunstancias casi novelescas, puesto que al efectuarse la petición de las amonestaciones, el 7 de febrero de 1645, la novia rompió a llorar delante del sacerdote, manifestando que el casamiento se iba a celebrar en contra de su voluntad. Esta declaración fue causa de que se diera por cancelado el compromiso, aunque pronto volvió a prepararse la ceremonia, ya que a los seis días Beatriz de

Cabrera mudó su opinión, manifestando deseos de aceptar al novio, ignorándose la causa que propició la oscilación de su conducta. Este curioso episodio no tuvo repercusión en la posterior trayectoria matrimonial de la pareja, que aparentemente disfrutó de una convivencia apacible y acomodada, ya que consta que Murillo dispuso de buena posición económica desde los inicios de su actividad artística. Por otra parte, el matrimonio tuvo con el paso de los años una prolífica descendencia, ya que existen testimonios documentales que señalan al menos la existencia de diez hijos. Las noticias que va proporcionando la documentación a través del tiempo nos muestran cómo el joven artista emprendió una brillante carrera que progresivamente le fue convirtiendo en el pintor más famoso y cotizado de la ciudad.

El único viaje del que se tiene constancia que realizó Murillo se documenta en 1658, año en que el artista estuvo en Madrid. No sabemos con certeza cuál fue la causa que motivó este traslado, ni cuánta duración tuvo, pero puede pensarse que en la corte mantuvo contacto con los pintores sevillanos que allí residían, como Velázquez, Zurbarán y Cano, al tiempo que se relacionaría también con otros pintores madrileños. Es muy probable igualmente que durante esta estancia en Madrid Murillo tuviese acceso a la colección de pinturas que se guardaba en el Palacio Real y que constituía un magnífico tema de estudio para todos aquellos artistas que pasaban por la corte. Lo cierto es que este viaje no duró más que algunos meses, ya que a finales del año antes citado consta de nuevo la presencia de Murillo en Sevilla.

No son muy indicativas las referencias documentales que ilustran la vida del artista en sus años de madurez, ya que tan sólo aparecen datos que testimonian cambios de domicilio y que nos lo muestran sucesivamente viviendo en las parroquias de la Magdalena, San Isidoro, San Nicolás y Santa Cruz. También aparecen referencias alusivas al nacimiento de sus hijos, alguno de los cuales muere prematuramente, y datos de carácter económico que señalan una vida desahogada. En efecto, tanto los buenos ingresos que obtenía por las pinturas como las rentas que le proporcionaban las casas que eran de su propiedad y que alquilaba, le permiten mantener un alto nivel de vida, tener varios aprendices, tres criados e incluso una esclava.

Al mismo tiempo, el paso de los años le convierte en el primer pintor de la ciudad y como consecuencia de ello el que mejores contratos obtenía, tanto con instituciones religiosas como con personajes civiles. Muy pronto hubo pinturas suyas en las principales iglesias y conventos sevillanos e igualmente en las más nobles mansiones de la ciudad. El haberse convertido en el primer pintor de la ciudad, superando en fama incluso a Zurbarán, movió su voluntad de elevar el nivel expresivo y técnico de la pintura local. Por ello en 1660 se decidió, junto con otros pintores sevillanos, a fundar una academia de pintura en que los artistas pudiesen ejercitarse y perfeccionar sus recursos técnicos. Esta academia tuvo en Murillo a su principal promotor, su primer presidente y su más entusiasta impulsor.

Un acontecimiento decisivo, el fallecimiento de su esposa Beatriz de Cabrera, tuvo lugar en 1663. Como era frecuente en la época, murió a consecuencia de un parto cuando contaba cuarenta y un años de edad, circunstancia que dejó solo al pintor en compañía de cuatro de sus hijos que habían sobrevivido. En esta situación es normal que el artista hubiese pensado en volver a contraer matrimonio, aunque no volvió a buscar una nueva esposa, permaneciendo viudo el resto de su existencia; por otra parte, sus hijos fueron abandonando progresivamente el hogar del pintor. Así, Francisca María ingresó en el convento de monjas dominicas de Madre de Dios, Gaspar Esteban y José estudiaron para sacerdotes, muriendo el segundo en 1679; otro hijo, Gabriel, se embarcó para América en 1677 y no regresó nunca más, por lo que en la última época de su vida Murillo vivió solamente en compañía de Gaspar Esteban y de sus criados.

Mientras tanto, su fama era tal que traspasaba los límites de la ciudad de Sevilla, extendiéndose por todo el territorio nacional. Existe una referencia, facilitada por Antonio Palomino, biógrafo de los pintores españoles, que indica que hacia 1670 el rey de España, Carlos II, ofreció a Murillo la posibilidad de trasladarse a Madrid para trabajar allí como pintor de Corte. No sabemos con exactitud si tal referencia es cierta, pero el hecho es que Murillo permaneció en Sevilla hasta el final de su vida.

Y este final aconteció en 1682 cuando vivía en el que fue su último domicilio en la parroquia de Santa Cruz. Informa el mencionado Palomino que, estando Murillo dedicado a pintar un gran lienzo destinado a presidir el retablo de la iglesia de los capuchinos de Cádiz, se cayó del andamio que se había construido al efecto, quedando muy maltrecho y falleciendo a los pocos meses, exactamente el día 3 de abril del mencionado año. Este episodio tuvo lugar en su propio taller sevillano, y no en Cádiz, en la iglesia de los Capuchinos, como narra la leyenda que posteriormente se forjó; en su testamento el artista señala que se le entierre en la iglesia de Santa Cruz, donde en efecto reposaron sus restos durante poco más de un siglo. Sin embargo, al ser destruida esta iglesia durante la ocupación francesa en 1810 y convertirse su espacio en la actual plaza de Santa Cruz, en nuestros días se desconoce por completo dónde reposan sus restos.

A pesar de haber sido hombre famoso y popular, son muy escasos los documentos y referencias que nos hablan de Murillo. La mayor parte de los datos que conocemos referentes a su personalidad nos los proporciona Palomino, cuando menciona que fue «no sólo favorecido del cielo por la eminencia de su arte, sino por las dotes de su naturaleza, de buena persona y de amable trato, humilde y modesto». Estas leves referencias concuerdan perfectamente con la fisonomía que evidencian los dos autorretratos que Murillo realizó, uno en edad juvenil y otro ya en su madurez; en ambos puede constatarse que fue persona inteligente y despierta, dotado de una profundidad intelectual que le permitió traducir en pintura el universo religioso y el ámbito social que le envolvía con serena amabilidad y pausada percepción; sosiego y bondad parecen ser virtudes que emanaron de su temperamento, las cuales, unidas a una notoria sensibilidad artística, le permitieron ser perfecto intérprete de los ideales religiosos y sociales de su época.

3. La formación de su estilo

A lo largo de sus años de aprendizaje debió de influir de manera notoria sobre el joven Murillo el magisterio de Juan del Castillo, quien supo orientarle hacia la captación de personajes de afable y armoniosa presencia, advirtiéndose también que le abrió el camino para que fuese un excepcional intérprete de la expresividad infantil.

De los maestros de su época también supo aprender y retener lo que más le convenía; así, es posible señalar que hubo de admirar las pinturas del clérigo Juan de Roelas (m. 1625), quien fue el primero en introducir el sentimiento y la sonrisa en la pintura sevillana. También encontró importantes referencias aprovechables para su estilo en las pinturas de Zurbarán, que era el maestro más señalado en Sevilla cuando Murillo empezó a pintar en 1635. La solemnidad de las figuras de este maestro y su rotunda volumetría se reflejan claramente en las primeras obras de Murillo. También la vitalidad y fuerza expresiva de Francisco de Herrera el Viejo hubieron de influirle de forma notoria.

Otros pintores sevillanos incidieron también en la concepción pictórica de Murillo, y en este sentido hay que mencionar a Francisco de Herrera el Joven, artista de su misma generación, que estuvo en Italia en su juventud y que a su regreso a Sevilla en 1655 realizó algunas obras que reflejan una soltura de pincel y una dinámica espacial totalmente novedosas. Herrera el Joven introdujo el espíritu del arte barroco en Sevilla y Murillo estuvo atento a estas novedades, asimilándolas con estilo propio.

También hay que señalar que Sevilla era una ciudad abierta en esta época y que por ello tuvo un comercio de obras de arte muy importante. La presencia en esta ciudad de obras procedentes de Flandes y de Italia proporcionó a Murillo un cúmulo de amplias y sugestivas referencias de estilo, que igualmente supo asumir en su propia pintura de manera totalmente personal. A ello hay que añadir la inevitable influencia que Murillo experimentó a través de la consulta y observación de grabados, instrumento de trabajo habitual en todo tipo de pintores. Sin embargo, es necesario admitir que, aunque la relación de Murillo con pinturas locales y foráneas fue inevitable, su personalidad artística es totalmente original, ya que posee una impronta que sobresale por su novedad e independencia tanto de los artistas del pasado como de los correspondientes a su propia generación.

A principios del siglo XIX y sin que se sepa a ciencia cierta quién la emitió, apareció una teoría que dividía en tres períodos el estilo de Murillo a lo largo de su vida, denominándolos «frío», «cálido» y «vaporoso». Se señalaba que el período frío correspondía a su época juvenil, indicándose que en ese momento utilizaba fuertes contrastes de luz y de sombra, al tiempo que un dibujo un tanto riguroso. El período cálido pertenecía a la madurez del artista, y en él Murillo utilizó un colorido más fluido con tonos más intensos y brillantes. Finalmente, se menciona el período vaporoso, que corresponde a los últimos años de su actividad, en el que el colorido se hace más transparente y difuminado. Posteriores estudios sobre Murillo han desechado esta clasificación, considerando que, aun no siendo del todo ilógica, es demasiado esquemática y rigurosa.

Ciertamente, a lo largo de la vida de Murillo se constata un período de evolución que muestra notables cambios a medida que fueron transcurriendo los años. En principio es necesario precisar que Murillo no fue un maestro excepcional desde sus primeros años, sino que la perfección y la genialidad las adquirió progresivamente. En este caso puede decirse que si Murillo hubiera muerto joven no hubiera pasado a la historia de la pintura, porque en sus primeros momentos poseyó un dibujo en exceso riguroso y un sentido del color no demasiado armonioso ni matizado. Sólo cuando fue acercándose a la madurez y contaba con cerca de cuarenta años sus recursos técnicos mejoraron notablemente, advirtiéndose una mayor fluidez en el dibujo, junto con una intensa soltura en el manejo del pincel. Con estos perfeccionados recursos comenzó a plasmar bellas y armoniosas figuras, de amable aspecto, que trascienden una vibrante y afectiva expresividad espiritual.

La llegada de Murillo a la plenitud de su estilo, en torno a 1655, coincidió con la introducción en Sevilla del espíritu del barroco, novedad debida en buena parte al pintor Francisco de Herrera el Joven. A partir de la fecha citada se advierte en Murillo una notoria renovación de sus esquemas compositivos, que se hacen más movidos y dinámicos, aunque siempre los emplea sin excesos ni estridencias. La movilidad de sus escenas está siempre presidida por un especial sentido de la elegancia y un comedimiento en la expresión, que refleja en un arte refinado y exquisito, precursor del que en el inmediato siglo XVIII llegó a alcanzar el estilo rococó.

No es solamente la positiva evolución de Murillo la que le otorgó nombre y fortuna, sino que a sus dotes de buen artista añadió un correcto entendimiento de la mentalidad de su época, orientando la pintura hacia formas amables y comprensivas que, al dirigirse a los fieles, traduce sentimientos amorosos y benevolentes. Y si supo humanizar a los santos del Paraíso, también logró otro de sus magistrales recursos mediante la introducción en sus pinturas de personajes extraídos de la vida popular y de condición humilde. La presencia en sus pinturas de gentes que proceden de la vida cotidiana creó un efecto familiar en la relación de los habitantes del Cielo con los atribulados moradores de Sevilla, que, en medio de las condiciones de vida adversa, se veían retratados con ellos en armoniosa convivencia. Así, en sus obras se percibe cómo entre el Cielo y la tierra se produce una profunda intercomunicación de sentimientos y cómo las miserias y sufrimientos de los pobres eran acogidos con actitud misericordiosa por los compasivos personajes celestiales. Por ello es habitual ver en las pinturas de Murillo cómo los santos se preocupan de practicar la caridad y de remediar las enfermedades de los menesterosos, prestando a los humildes y desamparados la protección que verdaderamente necesitaban.

4. EL GERMINAR DE UN TALENTO (1635-1655)

Como ya hemos señalado, Murillo no fue genio pictórico desde los primeros momentos de su actividad; por el contrario, si examinamos atentamente sus primeras obras, podremos advertir que se trata de un pintor aún modesto y de discretos recursos. En estas primeras obras conocidas, que pueden fecharse entre 1638 y 1640, se constata cómo en ellas hay influencias de su maestro Juan del Castillo y también características que supo asimilar de otros pintores pertenecientes a generaciones anteriores a la suya, como fueron Francisco de Zurbarán y Juan de Roelas. En este primer momento sus obras muestran figuras reposadas y poco expresivas, referencias que se observan de forma evidente en pinturas como *La Virgen entregando el rosario a santo Domingo,* que pertenece al Palacio Arzobispal de Sevilla, y *La Sagrada Familia,* conservada en el Museo Nacional de Estocolmo.

Nada extraordinario manifestaban obras como las anteriormente mencionadas y muy poco presagiaban el brillante futuro que aguardaba al pintor; habrán de pasar unos años y llegar a 1646 para que Murillo se revele como un pintor de gran temperamento creativo y, al mismo tiempo, para que alcance el favor popular. En torno al año mencionado el artista realizó una serie de pinturas de gran formato para decorar el claustro chico del convento de San Francisco de Sevilla. Fue éste el primer encargo importante que se le encomendó y puede advertirse que no desaprovechó la ocasión. En estas obras se evidencia que su dibujo ha mejorado considerablemente y también que su pincelada es más suelta y decidida; sus figuras tienden aún hacia la monumentalidad, pero su actividad expresiva ha mejorado notablemente. Al mismo tiempo, comienza a interesarse por aspectos populares y vitalistas que atraen profundamente la atención del espectador.

Como era perfectamente normal en aquella época, los franciscanos utilizaron los pinceles de Murillo para exaltar y difundir la grandeza de su orden y proclamar sus milagros, santidad y virtudes. Quizás el episodio más representativo de este conjunto de once pinturas que decoraban el claustro de San Francisco es el que muestra a *San Diego dando de comer a los pobres,* obra que pertenece a la Real Academia de San Fernando de Madrid. La pintura muestra a san Diego, que había sido un humilde franciscano que vivió en el siglo xv en el propio convento sevillano, entregado a la práctica de la caridad y a mitigar los sufrimientos de los pobres. Parece estar situado a la puerta de su convento, adonde ha transportado un enorme perol repleto de comida que va a distribuir entre un grupo de menesterosos, enfermos y tullidos. El santo fraile, antes de comenzar el reparto, se ha arrodillado para rezar fervorosamente y dar gracias al Cielo por la comida que va a servir. Los pobres que le rodean le acompañan en la oración, aunque en algunos de sus semblantes se advierte la impaciencia que les invade. Varios niños rezan también al lado del Santo, mostrando por primera vez la predilección que Murillo sintió por los temas infantiles a lo largo de su trayectoria artística. A través de esta obra el pintor se revela como un perfecto observador de la vida cotidiana, ya que recrea en ella una escena que él mismo habría podido contemplar en diversas ocasiones en los principales conventos sevillanos en los que se repartía comida a los pobres al menos una vez al día.

Otra pintura importante de esta serie es la que representa a *Fray Francisco y la cocina de los ángeles,* que pertenece al Museo del Louvre. Es una obra de gran formato, muy alargada, que permite la presencia de numerosos personajes para narrar con pormenor un episodio acaecido a fray Francisco Pérez, fraile cocinero del convento sevillano; este devoto fraile solía rezar con frecuencia mientras cocinaba; comoquiera que intensificaba ardorosamente el énfasis de su oración, entraba en éxtasis y levitaba durante largos espacios de tiempo, lo que significaba el abandono y descuido de sus labores culinarias. Pero el cielo recompensaba su piedad enviando a un grupo de ángeles cocineros que realizaban el trabajo mientras el fraile permanecía en trance. Llama la atención en esta obra el popular sentido descriptivo de Murillo al presentar una cocina con un fogón encendido y profusión de platos, cazuelas, jarros y peroles, junto con un variado repertorio de alimentos.

El alto sentido naturalista que presentaban estos cuadros del convento de San Francisco de Sevilla no pasó desapercibido para el gran público, teniendo en cuenta sobre todo que al claustro donde estaban colocadas las pinturas podía acceder todo el mundo y también que dicho convento estaba situado justamente en el centro de la ciudad. La cantidad de espectadores que los pudieron contemplar fue máxima, y por ello se hicieron pronto famosos en toda la ciudad, por la que corrió la noticia de la aparición de un joven pintor que por su popularismo y vitalidad entró de lleno en la predilección de sus paisanos.

Introducido ya como pintor en el ambiente sevillano a partir de 1645, Murillo realizó en estas fechas otras pinturas que reforzaron su prestigio en el ambiente artístico de la ciudad. El naturalismo que se advierte en la serie del convento de San Francisco vuelve a aparecer en pinturas como *La huida a Egipto,* que se conserva en el Palazzo Bianco de Génova, donde la Sagrada Familia está descrita como un matrimonio de campesinos que transita a través de un paisaje, imbuida de la preocupación y la intranquilidad que les ocasiona la persecución de los soldados de Herodes. En esta obra, aparte de un humilde espíritu evangélico, el artista ha captado perfectamente la fisonomía de los tipos rurales de su propio momento histórico.

Uno de los temas que más contribuyó a forjar la fama de Murillo fue el de la «Virgen con el Niño», en el cual acertó a plasmar altos niveles de belleza y de intimismo. Ciertamente en este tipo de representaciones Murillo alcanzó a definir unos modelos que con el tiempo han logrado una difusión universal y se han convertido en imágenes familiares para todos los devotos cristianos. La representación de este tema iconográfico había sido tratada previamente en la historia de la pintura, pero fue Murillo quien la supo interpretar de forma más definida, creando una síntesis tan perfecta entre los valores terrenales y celestiales, que fue intuitivamente elegida como la imagen que mejor plasmaba a María y al Niño. Por ello ha sido difundida en grabados, estampas y reproducciones de todo tipo con la intención de intensificar la devoción popular hacia estos santos personajes.

En este tipo de pinturas, cuya ejecución prodigó Murillo a partir de 1645, la Virgen aparece sentada en medio de un fondo sumido en la penumbra; su bello rostro, de una juvenil belleza, mira con atención al espectador, mientras que en su regazo, y acogido en sus brazos, aparece el Niño, refugiándose junto a su pecho. La expresión de ambos personajes, que rebosa ternura y afabilidad, suscita a quien los contempla intensas sensaciones de confianza y afecto. De estas versiones de la *Virgen con el Niño* mencionaremos las dos que se conservan en el Museo del Prado y la llamada *Virgen del Rosario* del Palacio Pitti de Florencia.

Refiriéndonos a la pintura anterior, hemos indicado que Murillo envuelve a los personajes en una intensa penumbra, de la que destacan al recibir una fuerte iluminación. Este recurso, denominado «claroscurismo» o «tenebrismo», consiste en contrastar fuertemente efectos de luces y de sombras, y fue muy utilizado por el artista en los años que oscilan entre 1635 y 1650. Esta técnica, empleada por numerosos pintores de su época, permite describir efectos dramáticos de gran intensidad y también concentrar la atención del espectador en aspectos concretos de la expresividad de los personajes. Como ejemplo más determinante de la utilización de este tipo de efecto lumínico puede citarse la *Sagrada Familia del pajarito,* obra que pertenece al Museo del Prado y que debió de ser realizada hacia 1650. En esta pintura el artista recrea un ambiente familiar de carácter doméstico, claramente inspirado en la vida cotidiana de aquel momento histórico. Una vez más Murillo insiste en reforzar la humanidad de los personajes celestiales, mostrándolos ocupados en labores hogareñas y familiares. Por ello san José aparece jugando con el Niño, desempeñando una función familiar que nunca había sido tratada en la historia del arte con tanta claridad. El protagonista del juego es el pajarito que el niño sostiene en una de sus manos y que capta la atención de un pequeño perro que aparece a sus pies; la Virgen también participa en la escena, interrumpiendo su tarea de devanar lana para compartir la plácida escena familiar. Una vez más Murillo acertó a exaltar los sentimientos afectivos que vinculan a los personajes familiares, que en esta ocasión rebosan alegría y ternura.

Otro de los temas iconográficos que Murillo recreó en esta primera etapa de su vida artística fue el de la *Magdalena Penitente,* descrito en varias ocasiones de forma muy similar. En efecto, en estas representaciones la Santa suele aparecer en un interior sumido en la penumbra y del que destaca su figura intensamente iluminada. En su expresión se refleja un profundo arrepentimiento de sus pecados, mostrando una belleza condolida por sus culpas, actitud que fue promovida por la iglesia para que sirviese como imagen ejemplar y edificante.

En numerosas interpretaciones del tema de la Magdalena en el renacimiento se advierte cómo los pintores aprovechan la belleza de esta mujer para desnudar gran parte de su figura y recrear efectos visuales de claro carácter erótico. No fue así en el caso de Murillo, quien apenas insinúa a través de un hombro o un pecho ligeramente descubiertos el esplendor corporal femenino, recurriendo más a intensificar la expresividad del rostro que aparece imbuido en una intensa vehemencia espiritual. En este sentido es de señalar que la actuación en España de la Santa Inquisición vigiló estrechamente la representación del desnudo en las manifestaciones artísticas, prohibiendo cualquier liberalidad en la descripción del cuerpo femenino. Entre las Magdalenas más interesantes que pintó Murillo en esta primera etapa de su vida podemos señalar como la más temprana la que se conserva en la Academia de San Fernando de Madrid, realizada hacia 1645, y la que pertenece a la Galería Nacional de Dublín, pintada diez años después.

Como obras fundamentales de esta faceta tenebrista practicada por Murillo hay que considerar las representaciones de *San Bernardo y la Virgen* y *La imposición de la casulla a san Ildefonso*, pertenecientes ambas al Museo del Prado. La ejecución de estas pinturas puede situarse entre 1650 y 1655, pudiéndose señalar que ambas fueron adquiridas por la reina doña Isabel de Farnesio en Sevilla hacia 1730, coincidiendo con la estancia de la corte de Felipe V en dicha ciudad, y siendo probable que procedan de la iglesia de algún convento sevillano donde formarían parte de sendos retablos.

En la pintura que describe a *San Bernardo y la Virgen* se narra un episodio en el cual el Santo ve recompensado su intenso amor mariano con una aparición en la que la Madre de Dios, descubriendo su pecho, le envía su leche, que él recoge en sus labios; el tema, que, sacado de su contexto místico, no deja de contener un marcado acento erótico, está descrito, sin embargo, con sencillez y naturalidad, mostrando al Santo arrodillado en medio de la penumbra que invade su celda y a la Virgen flotando en el espacio superior, envuelta en áureos resplandores. Esta iconografía, que en el pasado no suscitó ningún reparo al ser descrita, está tratada por Murillo a través del contraste de la dulzura que emana del rostro de María con la vehemencia que inunda la faz de San Bernardo.

La composición de *La imposición de la casulla a san Ildefonso* es más compleja que la anteriormente descrita, por la mayor presencia de personajes; en su resolución expresiva hay también marcados contrastes entre el rostro de la Virgen e intensas alternancias en la consecución de efectos de luz y de sombra. En este caso se trata igualmente de la representación de un milagro en el que la Virgen se aparece al santo para recompensarle su acendrado amor con la entrega de una esplendorosa casulla que había de llevar en las celebraciones litúrgicas destinadas al culto mariano.

Como obras finales de este período de la vida del artista han de mencionarse el *San Isidoro* y el *San Leandro* que Murillo realizó para la Sacristía Mayor de la catedral de Sevilla en 1655. En esta fecha consiguió cimentar su fama al obtener un encargo pictórico que le permitió por primera vez exponer obras suyas dentro del recinto catedralicio, logro que venía a colmar una de las más grandes aspiraciones que un pintor sevillano podía anhelar.

5. Los años de esplendor (1656-1682)

A mediados del siglo XVII, cuando Murillo se encontraba en fechas próximas a sus treinta y cinco años de edad, comenzaron a advertirse en Sevilla indicios claros de la introducción en el ámbito artístico de recursos y efectos que evidenciaban el triunfo del espíritu del barroco, circunstancia que aparece vinculada a una clara evolución del pensamiento contrarreformista hacia formas más amables y comprensivas. A lo largo de la primera mitad del siglo XVII había imperado un pensamiento religioso severo y muy preocupado por la ortodoxia, que en pintura tuvo en Sevilla como máximo exponente a Zurbarán, con sus personajes rígidos y solemnes que jamás sonríen. Este rigor en el pensamiento y en las formas dio paso en las fechas que comentamos a una estética igualmente imbuida de religiosidad, pero mucho más afable, concorde con la necesidad de aportar alivio y comprensión en los duros tiempos que se estaban viviendo. Murillo acertó a entender estas circunstancias y por ello su arte se fue orientando progresivamente hacia la desdramatización de su contenido religioso, al tiempo que su dibujo iba siendo cada vez más suelto y su colorido más transparente y fluido.

Por ello no nos ha de extrañar encontrar en estos momentos obras de Murillo como *El Buen Pastor* del

Museo del Prado, pintura excepcional que tiene justa fama de ser una de las más apreciadas por el público; en esta representación el Niño Jesús aparece protagonizando la alegoría del buen pastor del que habla el evangelio de san Juan, pero tratado con fisonomía infantil. Este amable pastor, que se encarga de guardar y proteger a las almas cristianas, muestra una presencia revestida de una esplendorosa belleza que subyuga la atención del espectador por el hecho de que tan excepcional criatura esté dedicada a su protección espiritual. Hay además en la representación un sentido de placidez natural muy señalado que intensifica la luz difusa que cierra el fondo de la composición.

Otra magnífica pintura que terminó de consagrar a Murillo en el ámbito de su ciudad natal fue el *San Antonio con el Niño* que pertenece a la catedral de Sevilla. Ya en 1655 había pintado a los santos Isidoro y Leandro en la Sacristía Mayor, cuando al año siguiente el cabildo catedralicio le encargó una obra de grandes dimensiones para ocupar el retablo de la capilla dedicada a este Santo, que también era la capilla bautismal. Esta obra es la de mayores dimensiones realizada por el artista a lo largo de su carrera y en ella triunfa ya plenamente el espírutu del barroco. Sin embargo, Murillo rehuyó recrear en ella una composición abigarrada y confusa, realizando por el contrario una disposición basada en un esquema sencillo y ordenado. En la representación aparece el Santo en el interior de su celda conventual extendiendo los brazos para recibir al Niño, que desciende del cielo envuelto en áureos resplandores y rodeado de una nutrida cenefa de ángeles que le acompañan en tan trascendental momento.

Al igual que muchas pinturas famosas en la historia

del arte, este *San Antonio con el Niño* de Murillo fue víctima de un brutal atentado que estuvo en trance de destruirla. En efecto, en el mes de noviembre de 1874 una persona de mente quizás alterada por la popularidad de esta obra, aprovechando la soledad de la noche recortó por entero la figura del San Antonio, dejando la pintura, por lo tanto, totalmente mutilada. Durante algunos meses el cuadro ofreció un patético aspecto, con el hueco de la figura del Santo; pero, por fortuna, al cabo de un año el fragmento fue ofrecido a la venta en Nueva York, donde fue adquirido por un anticuario, quien reconoció de inmediato su procedencia y lo ofreció a la Embajada de España. Por este conducto fue devuelto a la catedral de Sevilla, donde se procedió a su restauración; después de un afortunado proceso, el cuadro quedó de nuevo íntegro, sin que actualmente pueda advertirse la huella de la grave mutilación.

Cuando la vida de Murillo alcanzó la década que se inicia en 1661, dieron comienzo los años más fructíferos de su existencia, en los que realizó importantes conjuntos pictóricos, como la serie de la vida de Jacob para el marqués de Villamanrique y las pinturas que adornaban las iglesias de Santa María de la Blanca, Sala Capitular de la catedral, Capuchinos y Hospital de la Santa Caridad. Todo este conjunto de obras, realizado en un período de diez años, habría bastado para situar a Murillo entre los pintores más importantes del barroco europeo.

La serie de la vida de Jacob destaca de forma notoria en la producción de Murillo por presentar amplios fondos de paisaje, en los que se albergan figuras de reducido tamaño respaldadas por dilatados escenarios naturales. La presencia de paisajes en estas obras es de una gran novedad dentro de la producción del artista, porque, aunque en ocasiones los había utilizado como fondo de sus obras, éstos habían sido muy reducidos y por lo tanto de escaso desarrollo. El análisis de estos paisajes que cubren los fondos de las distintas escenas de la vida de Jacob permite considerar a Murillo como un excepcional pintor de ambientes geográficos. Ciertamente estos fondos evidencian que el artista era un buen conocedor de la pintura de paisaje, tanto de la practicada en Sevilla como de la de otros lugares nacionales y foráneos. Con cierta seguridad habría visto en colecciones sevillanas paisajes de escuela flamenca e italiana y por supuesto habrían también pasado por sus manos numerosos grabados de distintas escuelas que representaban ambientes naturales. De todos ellos, puede decirse que fueron los grabados flamencos los que más le influyeron, al menos en la realización de esta serie.

Este conjunto de pinturas sobre la vida de Jacob se componía en origen de cinco episodios, pero uno de ellos, que narraba *El encuentro de Jacob y Raquel,* se ha perdido o se encuentra en paradero desconocido. De los conservados, dos se encuentran en el Museo del Ermitage de San Petersburgo y representan a *Jacob bendecido por Isaac* y *La escala de Jacob.* En el Museo Meadows de Dallas se conserva la escena que describe a *Jacob poniendo las varas al ganado de Labán* y, finalmente, el episodio que narra la historia de *Labán buscando los ídolos en la tienda de Raquel* pertenece al Museo de Cleveland.

Las pinturas que en 1665 realizó Murillo para la iglesia de Santa María de la Blanca de Sevilla señalan uno de los puntos culminantes de la producción de este

artista. Esta Iglesia, que había sido una antigua sinago-
ga, pasó por estos momentos históricos un intenso proceso de remodelación en el que se le otorgó una estruc-
tura propia para el culto cristiano, dividiéndose su interior en tres naves y recubriéndose su espacio con
un profuso revestimiento de abultadas yeserías que
adornan toda la parte superior del edificio. Las cuatro
pinturas que para esta iglesia realizó Murillo forman
conjuntamente un programa iconográfico que probablemente fue sugerido por don Domingo Velázquez
Soriano, párroco de la iglesia, y también por don Justino de Neve, canónigo de la catedral y amigo de Murillo que residía en la vecindad de la iglesia. Probablemente fue este último personaje quien contribuyó a sufragar los gastos que originaron las obras del templo y
de sus pinturas; este conjunto pictórico, que formaba
un todo perfecto con la arquitectura del edificio y con
las yeserías, no se encuentra hoy en su lugar de origen,
sino que desgraciadamente está disperso en diferentes
paraderos; el culpable de esta dispersión no fue otro
que el mariscal Soult, quien en el año 1810, durante la
ocupación de Sevilla por las tropas francesas, sustrajo
las cuatro pinturas y se las llevó como botín de guerra
a Francia. Las dos mayores fueron devueltas posteriormente a España, pero nunca regresaron a su lugar de
origen, ya que se quedaron en el Museo del Prado. Las
otras dos se hallan actualmente, una, en el Museo del
Louvre de París, y otra, en una colección particular de
Berks, en Inglaterra.

Las dos primeras pinturas de este conjunto, que tenían formato circular, se acomodaban en la zona superior de la nave central, debajo de la pequeña cúpula
que ilumina la iglesia; en ellas se describe la historia de

La fundación de la iglesia de las Nieves de Roma, de la que la iglesia sevillana se sentía filial, aunque no homónima, ya que había cambiado la advocación de Santa María de las Nieves por Santa María de la Blanca. Las otras dos pinturas, hoy en el extranjero, son alegorías de *La Inmaculada* y de *La Iglesia.*

Otra de las grandes realizaciones de Murillo en el período que señala el esplendor de su carrera artística fue la decoración de la Sala Capitular de la catedral de Sevilla, encargo que le hicieron en 1667 los canónigos sevillanos, llamándole una vez más a trabajar a su servicio. La Sala Capitular era el lugar de gobierno de la catedral, donde se mantenían las discusiones derivadas de la gestión económica del templo y donde, reunidos en torno a su planta oval, los canónigos deliberaban sobre los problemas materiales que debían resolver. Lugar, pues, de relieve dentro del templo, que en esta época los canónigos quisieron dignificar colocando en lo alto de sus muros una serie de pinturas, de formato circular, que representaran a ocho santos sevillanos, cuyas presencias sirvieran para inspirar virtud y santidad a los allí congregados en la resolución de los problemas del cabildo. Este conjunto de santos se colocó bajo la presidencia de *La Inmaculada,* una de las más bellas que este artista realizó en toda su carrera. Al estar todo el conjunto todavía en su lugar de origen, la Sala Capitular de la catedral sevillana nos ofrece actualmente una perfecta síntesis entre su racional construcción renacentista y el espléndido programa iconográfico pensado por los canónigos y excepcionalmente plasmado por Murillo. Los santos, pintados en formato circular, siguen un orden que comienza a la derecha de la Inmaculada con *San Pío* y continúa con *San Isi-*

doro, San Leandro, San Fernando, Santa Justa y San-
ta Rufina. Cada uno de estos santos traduce y simbo-
liza dignidad espiritual, energía moral, sacrificio, sabi-
duría de gobierno, confianza en Dios y serena aceptación del martirio, virtudes todas ellas que se proclama-
ban como ejemplo a seguir e imitar para los que allí se
reunían temporalmente.

En este mismo año de 1667 el cabildo catedralicio
sevillano encargó a Murillo la realización de un *Bautismo de Cristo* para la capilla bautismal del templo, donde años antes había pintado el gran san Antonio. Vinculadas ambas pinturas en un mismo retablo, se confi-
guró con ambas obras un magnífico conjunto visual
que en la misma capilla invitaba a la devoción del santo y recordaba a la vez la función de capilla bautismal
que tenía el recinto. En esta pintura del *Bautismo de
Cristo* Murillo acierta a señalar, a través de la profunda emotividad que aparece en el rostro de san Juan y
la intensa humildad que se refleja en el de Cristo, la importancia y trascendencia con que debe impartirse el
sacramento del bautismo.

El más importante y amplio contrato artístico que
Murillo suscribió a lo largo de su carrera artística le
comprometió a decorar por completo la iglesia de los
Capuchinos de Sevilla, en la cual pintó tanto el retablo
principal como los pequeños retablos que se disponían
en las capillas laterales de la iglesia. Esta extensa em-
presa artística se desarrolló entre 1665 y 1669.

Como todos los conjuntos artísticos de Murillo, las
pinturas de los Capuchinos sevillanos han corrido distintas vicisitudes, que en este caso han tenido un desen-
lace mayoritariamente feliz para el patrimonio artístico español, ya que gran parte de las realizadas para di-

cho templo se conservan actualmente en el Museo de Bellas Artes de Sevilla. En principio hay que señalar que los Capuchinos se sintieron siempre orgullosos de su iglesia y que apreciaban intensamente la extensa colección de obras de Murillo que en ella se mostraba. Llegados los años de la guerra de la Independencia, los frailes, conocedores de la rapacidad del mariscal Soult y su desmedida afición a las obras de Murillo, tomaron la decisión de ponerlas a salvo trasladándolas a Gibraltar, que al ser territorio inglés permitiría tener a salvo su patrimonio artístico. En efecto, allí se trasladaron las pinturas durante los años de la guerra, regresando a Sevilla en 1812. Sin embargo, poco tiempo más disfrutaron los Capuchinos sevillanos de su excepcional colección de obras de Murillo, ya que en 1836, al producirse la Desamortización de Mendizábal, el Estado español se incautó de las pinturas, que pasaron a formar parte del Museo de Bellas Artes de Sevilla.

No todo el conjunto pictórico realizado por Murillo para los Capuchinos se llegó a salvar, ya que algunas pinturas se perdieron por causas ajenas a la voluntad de los frailes. La principal pérdida fue *El jubileo de la Porciúncula,* que ocupa el retablo mayor de la iglesia. Esta pintura, que narra una aparición de Cristo y la Virgen a san Francisco para concederle una indulgencia, dejó de pertenecer a los frailes justamente cuando los franceses ya se habían retirado de Sevilla. Las circunstancias de la pérdida no dejan de ser pintorescas, puesto que dicha pintura se entregó a Joaquín Cabral Bejarano, quien había restaurado todas las pinturas de Murillo que durante su traslado, estancia y regreso de Gibraltar habían sufrido notables desperfectos. Al carecer los Capuchinos de recursos económicos, el restaurador aceptó el pago de sus honorarios por medio de la pintura principal del retablo, que una vez en su poder, puso en venta. Su destino final fue el Museo de Colonia, adonde llegó después de haber pasado por varias manos.

Otras dos pinturas de esta serie dejaron de pertenecer a la serie de los Capuchinos: *El ángel de la Guarda* y *El arcángel san Miguel*. La primera de ellas fue regalada por los frailes en 1814 al cabildo de la catedral de Sevilla, donde aún se conserva, y la segunda fue entregada probablemente en Gibraltar en pago de la custodia que allí se hizo durante algunos años de todo el conjunto pictórico. Parece ser que esta última pintura es la que ha adquirido recientemente el Museo de Historia del Arte de Viena.

El conjunto de pinturas de Murillo realizado para la iglesia de los Capuchinos de Sevilla se repartía fundamentalmente en dos espacios y constituía dos grupos. El primero era el que se disponía en el presbiterio y en el retablo mayor y el segundo el que se repartía en las capillas laterales de la nave de la iglesia. El retablo mayor estaba presidido por *El jubileo de la Porciúncula* antes mencionado, mientras que en los laterales figuraban *Las santas Justa y Rufina, Los santos Leandro y Buenaventura, San José con el Niño, San Félix Cantalicio* y *San Antonio de Padua*.

Entre todas estas pinturas, actualmente en el Museo de Bellas Artes de Sevilla, destaca *Las santas Justa y Rufina,* las cuales recibían culto en el retablo merced a que la tradición señalaba que habían sido martirizadas en el solar sobre el que se había levantado posteriormente el convento. En el rostro de ambas hermanas, Murillo supo captar dos prototipos característicos de belleza en la que funde armoniosamente aspectos populares y espirituales. En el suelo, a los pies de estas santas, aparecen varias vasijas de barro, alusivas a su condición de vendedoras de cerámica, martirizadas por negarse a honrar al dios pagano Salambó durante el mandato del emperador romano Diocleciano. En sus manos aparece una representación de la Giralda, la torre de la catedral de Sevilla, porque, según la tradición, las dos santas bajaron del cielo para sujetarla durante un terremoto acaecido en el año 1504.

Figuraba también en este retablo, dispuesta sobre la portezuela del tabernáculo, una de las más famosas pinturas de Murillo: *La Virgen de la servilleta*. Esta obra adquirió su denominación a principios del siglo XIX, cuando en torno a ella se forjó una leyenda inspirada en dos tradiciones que probablemente son falsas. La primera de ellas indica que Murillo, cuando pintó la serie de los Capuchinos, oía misa en el templo y desayunaba después con los frailes; un día, éstos notaron que faltaba la servilleta que utilizaba el pintor, quien la devolvió jornadas después con la pintura de la Virgen con el Niño en su superficie. La otra leyenda señala que un devoto fraile del convento pidió a Murillo una imagen de la Virgen con el Niño para concentrar en ella sus oraciones. El pintor accedió a ello, pero pidió al fraile que le entregase un trozo de tela para realizar la imagen y el fraile no encontró otra cosa que una servilleta, que Murillo aceptó. Ambos relatos son probablemente falsos, habiéndose comprobado además que la pintura no está realizada sobre un lienzo fino propio de una servilleta, sino sobre tela basta idónea para la pintura al óleo.

En los laterales del presbiterio, a los lados del retablo mayor de la iglesia, hubo dos pequeños altares en los que también se dispusieron obras de Murillo; así, en el lado izquierdo figuraba una *Anunciación* y en el derecho *La Piedad*. Esta última pintura, por razones que se desconocen, ha llegado mutilada hasta nuestros días porque falta en ella la parte superior, en la que debía de aparecer la cruz de Cristo sobre un fondo de paisaje. En fecha que se desconoce esta parte superior debía de encontrarse en malas condiciones de conservación y, en vez de restaurarse, se procedió a su recorte.

Las capillas que se abren a derecha e izquierda de la nave de la iglesia de los Capuchinos se adornaban también con pinturas de Murillo. Son todas obras de excepcional calidad, habiendo pasado por fortuna en su totalidad al Museo de Bellas Artes de Sevilla. La iconografía de todas estas obras emana de las devociones que los franciscanos querían extender; así, el *San Antonio con el Niño* acercaba a los fieles el santo de Padua, al que se representaba en el momento en que el Niño se le aparece para fundirse con él en un efusivo abrazo. En *La adoración de los pastores* se resalta la humilde condición del pueblo y su acendrada devoción hacia el Niño Jesús, ya que entre los pastores que acuden al portal de Belén está representado el ser humano en todas las edades de la vida, advirtiéndose la presencia de un niño que ofrece una gallina, una bella joven con una cesta de huevos, un pastor de edad madura que lleva un cordero y, finalmente, un anciano. *La Inmaculada con el Padre Eterno* subraya la tradicional devoción que los franciscanos habían tenido por este misterio mariano y *San Félix Cantalicio* muestra la recompensa del Niño Jesús a un anciano fraile que había consagrado toda su vida a la práctica de la Caridad.

San Francisco abrazando el crucifijo alude a una de las principales virtudes de la orden franciscana, que es la pobreza y la consiguiente renuncia a los bienes terrenales, y *Santo Tomás de Villanueva* indica el ejemplo que han de seguir los eclesiásticos en el ejercicio de sus cargos: renunciar a la categoría personal que proporciona la jerarquía eclesiástica para dedicarse por completo a remediar las necesidades de los pobres.

Aunque de manera algo dispersa, se advierte en todo el conjunto pictórico que Murillo realizó para los Capuchinos sevillanos la intención por parte de éstos de exaltar la grandeza histórica de su orden y al mismo tiempo propiciar las devociones más vinculadas a sus concepciones religiosas, basadas en la humildad, la pobreza y la caridad.

La más perfecta integración de obras de Murillo dentro de un programa ideológico-religioso tuvo lugar en la iglesia del Hospital de la Santa Caridad de Sevilla, donde por iniciativa del aristócrata don Miguel de Mañara se realizó un amplio conjunto decorativo que incluyó retablos, esculturas y pinturas, formando un esplendoroso escenario que en su origen pudo ser el más deslumbrante que se llevó a cabo en el barroco español.

Don Miguel de Mañara (1627-1679) fue un acaudalado noble sevillano que, según él mismo confesó, había tenido una juventud disipada, de cuyos excesos se sintió culpable en su madurez. Después de enviudar en 1661 solicitó ser admitido en la Hermandad de la Santa Caridad para dedicarse por completo al servicio de los pobres y enfermos. Mañara, que en principio fue recibido en esta institución con algún recelo a causa de su pasado, tuvo un comportamiento tan ejemplar que al cabo de un año fue nombrado Hermano Mayor, cargo que ocupó hasta la hora de su muerte.

La principal dedicación de Mañara como Hermano Mayor de la Santa Caridad fue la de crear un hospital en el cual recoger a los desvalidos que en gran número se veían hambrientos y enfermos por las calles de la ciudad. Su esfuerzo se vio perfectamente colmado con la construcción de dos amplias enfermerías que pronto estuvieron repletas de indigentes y también con el sufragio de los gastos de construcción de la nueva iglesia de la Hermandad, cuyas obras se venían realizando desde 1647. Mañara consiguió los suficientes recursos económicos para terminar esta iglesia y también para adornarla con magnificencia, merced a los trabajos de pintores como Murillo y Valdés Leal, escultores como Pedro Roldán y retablistas como Bernardo Simón de Pineda, artistas que eran considerados como los más sobresalientes de la ciudad. Al mismo tiempo, dispuso que la iglesia fuera testimonio y ejemplo de la dedicación a los pobres, realizando un programa iconográfico en el cual vino a señalar que para conseguir la salvación eterna era necesaria e inevitable la práctica de las obras de misericordia, y también que ningún rico entraría por la puerta del reino de los cielos. El programa comenzaba plasmando el pensamiento de Mañara con respecto al fin del ser humano, que es la inevitable llegada de la muerte. En este sentido, a través de dos pinturas de Valdés Leal tituladas *In ictu oculi* y *Finis gloriae mundi,* quiso hacer ver que la vida humana es efímera y que nadie podrá llevarse al otro mundo las riquezas y los honores. Estas pinturas, de contenido macabro y horripilante, invitan a pensar en la hora del Juicio y en la necesidad de salvarse merced a la práctica de la virtud durante la existencia.

Después de esta profunda reflexión sobre las «Postrimerías», Mañara se sirvió del temperamento pictórico de Murillo, amable y descriptivo, para trazar la segunda parte de su programa a través de un conjunto de pinturas situadas en lo alto de la nave. Constituían éstas sendas alegorías de las obras de misericordia, cuya práctica podía asegurar la consecución de la salvación eterna. Estas obras conformaban la parte esperanzadora del programa de Mañara y contenían todas, según se comprueba en el inventario de la Santa Caridad realizado en 1674, un marcado contenido simbólico. Así, la pintura que representa a *Abraham y los tres ángeles* traduce la obra de misericordia de dar posada al peregrino; *La curación del paralítico* en la piscina alude a visitar y atender a los enfermos; *San Pedro liberado por el ángel,* redimir al cautivo, y *El regreso del hijo pródigo,* vestir al desnudo. Desgraciadamente, estas cuatro pinturas ya no están en la iglesia, puesto que fueron expoliadas por el mariscal Soult, quien se las apropió para su colección, vendiéndolas después sus herederos en 1835. Por esta causa el programa de Mañara queda actualmente incompleto en la iglesia, estando hoy las pinturas, respectivamente, en la Galería Nacional de Ottawa, Galería Nacional de Londres, Museo del Ermitage de San Petersburgo y Galería Nacional de Washington.

Por su gran tamaño y difícil acomodo en su mansión parisina, Soult renunció a llevarse las representaciones de *El milagro de los panes y los peces,* alusiva a dar de comer al hambriento, y de *Moisés haciendo brotar el agua de la peña,* que traduce la obra de dar de beber al sediento. Ocupan estas pinturas actualmente su lugar de origen y ayudan a entender lo que pudo ser todo el conjunto iconográfico de Mañara de no haber sido brutalmente mutilado.

La última obra de misericordia se plasma de forma esplendorosa en el magnífico retablo mayor de la iglesia, obra diseñada por Bernardo Simón de Pineda y cuyas esculturas realizó Pedro Roldán. El grupo central de este retablo, que representa *El entierro de Cristo,* está resuelto con una escenografía solemne y dramática y ejemplifica la dedicación de enterrar a los muertos, que fue la primera de las obras de misericordia que practicó la hermandad de la Santa Caridad desde su fundación.

Como ya se ha indicado, don Miguel de Mañara encargó a Murillo la realización de seis pinturas alegóricas de otras tantas obras de misericordia con la intención de señalar que con su práctica podía obtenerse la salvación eterna. Hay que precisar que este mensaje, más que al público en general, iba destinado a los hermanos de la Santa Caridad, los cuales pertenecían en su mayoría a la aristocracia, pudiendo por ello disponer de caudales que donar a la hermandad y también tiempo libre suficiente para dedicarse a atender a los pobres. A estos hermanos de la Santa Caridad iba también destinada la simbología de otras dos pinturas de Murillo, dispuestas en dos altares laterales en la nave de la iglesia. La primera de ellas es la que representa a *San Juan de Dios transportando a un enfermo.* Esta obra alude a una de las obligaciones que tenían los hermanos de la Santa Caridad y que aparece consignada en la Regla de la Hermandad; esta obligación consistía en tener que transportar a los enfermos desde el lugar en que se los hallara hasta el hospital. Para comprometerles con esta labor de asistencia, Mañara propone a los hermanos el ejemplo del santo granadino Juan de Dios, que aparece en la pintura transportando sobre sus hombros durante la noche a un enfermo para llevarlo hasta un hospital. Comoquiera que el peso del enfermo le hizo desfallecer y caer al suelo, un ángel se le apareció para ayudarle y prestarle fuerzas que le permitieran cumplir con su caritativa labor. De esa manera se señala a los hermanos de la Caridad que también ellos recibirían en caso necesario ayuda del cielo para realizar su función caritativa con los enfermos indi-gentes.

La segunda obligación que tenían los hermanos de la Caridad, según la Regla, era atender a los enfermos una vez llegados al hospital, ocupándose de su curación y también dándoles de comer con sus propias manos. Esta obligación se les recuerda proponiéndoles como modelo la representación de *Santa Isabel de Hungría curando a los tiñosos.* Esta pintura muestra a un grupo de pobres enfermos, postrados ante la santa para que ésta les cure de sus padecimientos. El artista ha logrado describir un admirable contraste entre la actitud afable y distinguida de la santa, y las presencias populares y dolientes de los menesterosos que la rodean. Un detalle de picardía y desenfado lo protagoniza el muchacho que en segundo plano se rasca sus bubas al tiempo que hace un guiño al espectador, en una actitud que intenta desdramatizar el triste contenido de la escena.

Refiriéndonos ahora a las pinturas que Murillo realizó en los últimos años de su vida, es necesario advertir que en ellas no se constata ninguna disminución de sus facultades creativas, sino, al contrario, un nivel de calidad que en ocasiones supera incluso al alcanzado en décadas anteriores. Aunque el artista no llegó a una edad demasiado longeva, puesto que alcanzó a vivir tan sólo sesenta y cuatro años, puede afirmarse que llegó hasta esta edad en pleno dominio de sus facultades artísticas sin que se viese mermado un ápice su talento creativo; por ello nos es posible señalar que Murillo no conoció la decadencia que impone la edad y que, por el contrario, sus últimas obras, si cabe, poseen una pincelada más fluida y un colorido más transparente.

En la última década de su existencia, Murillo no realizó ninguna gran serie, ni tampoco se le encargó la decoración de ninguna iglesia o convento; sin embargo, su actividad no decayó lo más mínimo, dedicándose a realizar sobre todo cuadros de devoción para particulares, que, ejecutados en buen número, le permitieron trabajar de forma continuada y recibir notorios emolumentos. Entre estas pinturas destaca por su importancia iconográfica la realización de varias imágenes de *San Fernando,* coincidiendo con la canonización de este santo en Roma en 1661. Dicha canonización fue recibida en Sevilla con gran alborozo y de inmediato el cabildo catedralicio organizó esplendorosas fiestas en su honor. Con este motivo, fueron numerosas las personas e instituciones que demandaron pinturas con la efigie de san Fernando, siendo Murillo el artista más solicitado y también el más afortunado intérprete de este tema. Una de estas pinturas, quizás la más representativa que con esta iconografía ha llegado hasta nuestros días, es el *San Fernando,* que pertenece actualmente a la catedral de Sevilla pero que fue encargado de forma privada por el canónigo Bartolomé Pérez, quien a su muerte lo donó al templo catedralicio; la imagen, propia del temperamento y la sensibilidad de Murillo, refleja en su semblante una intensa pero contenida emoción; el santo vuelve sus ojos hacia lo alto y muestra en sus manos la espada y la bola del mundo, alegóricas a su trascendental misión de rey conquistador que gobierna santamente sus estados.

En los años que señalan la postrera actividad de Murillo encontramos frecuentemente pequeñas obras maestras que forman parte de lo más selecto de su producción. En este sentido hay que destacar principalmente la representación de *Los niños de la concha,* que pertenece al Museo del Prado, donde una vez más el pintor consigue, a través del protagonismo infantil, elevar a la categoría de lo excepcional temas que en sí no son más que triviales y anecdóticos. En este caso, el Niño Jesús y san Juan niño protagonizan un episodio que refleja la intensa devoción que suscitaban en Sevilla los temas infantiles en los que se anunciaban circunstancias que habrían de ocurrir en la vida pública de Cristo; así, ambos niños se encuentran a orillas del río Jordán en el momento en que Jesús da de beber agua en una concha a su primo, anticipando esta escena el encuentro de ambos en el mismo río donde en el futuro habrá de producirse el bautismo de Cristo.

También al Museo del Prado pertenece otra obra fundamental dentro de la última producción de Murillo; es *San Juan Bautista niño y el cordero,* como la anterior imagen, muy popular y difundida intensamente a través de láminas y grabados. También esta obra incluye un elemento premonitorio, porque el Bautista niño se encuentra profundamente imbuido de una actitud de intimidad espiritual, en medio de un solitario paisaje y acompañado por el Cordero simbólico, como robusteciendo su espíritu para desempeñar en el futuro la trascendental misión de anunciar a Cristo.

6. Los grandes temas: Inmaculadas, pinturas costumbristas y retratos

Inmaculadas. Cualquier referencia al tema de la Inmaculada en pintura lleva implícita la alusión a Murillo, porque este artista se convirtió en el intérprete más afortunado de dicho prototipo de representación religiosa. Sabido es que Murillo no ha sido el creador de esta iconografía, que se venía practicando en España desde mediados del siglo XVI, apareciendo en Sevilla los primeros ejemplos a finales de dicho siglo. Luego, en el siglo XVII, hubo en esta ciudad importantes pintores como Pacheco, Roelas y Zurbarán que realizaron numerosas Inmaculadas antes de Murillo en una población en la que su culto alcanzó altos niveles de popularidad. Tan intensa fue esta devoción, que representantes de la ciudad llegaron incluso a dirigirse al rey don Felipe IV para que pidiese al Papa la proclamación del dogma de la Inmaculada. Ciertamente, este dogma no fue proclamado hasta 1854, pero al menos tal petición consiguió que en 1622 se publicase en Roma un decreto en el cual se defendía que la Virgen María fue concebida sin pecado original.

Cuando hacia 1650 Murillo realizó sus primeras Inmaculadas es lógico que tuviese en cuenta los modelos que en décadas anteriores habían realizado sus predecesores. Pero la llegada a España en 1635 de la *Inmaculada* que Ribera pintó en Nápoles para el retablo de la iglesia del convento de las Agustinas de Monterrey de Salamanca, obra que se difundió a través de estampas, proporcionó a Murillo un concepto totalmente renovado y diferente al que hasta entonces se había plasmado. En efecto, los pintores sevillanos habían captado una imagen de perfil cerrado, recogida e íntima en su actitud, que flotaba inmóvil en el espacio. Ribera, en cambio, captó a María con un movido y dinámico perfil corporal que ondula con intensidad en el áureo ambiente celestial que la envuelve. Eran ya formas claramente barrocas las que Ribera presentaba en la aludida *Inmaculada* de Salamanca y Murillo no dejó de advertir las sugestivas novedades que esta imagen presentaba, adaptándolas a su estilo y creando un modelo peculiar y diferenciado que ha motivado el que sea denominado el pintor de la Inmaculada por antonomasia y que estas imágenes hayan alcanzado fama universal.

La primera *Inmaculada* que pintó Murillo puede fecharse, como ya se ha señalado, hacia 1650. Es la llamada *Inmaculada Concepción grande* y está pintada por encargo de los franciscanos de Sevilla, entusiastas defensores de este misterio mariano. Conservada actualmente en el Museo de Bellas Artes de Sevilla, es obra de enorme tamaño que estuvo situada sobre el arco de la capilla mayor de la desaparecida iglesia de los franciscanos de dicha ciudad. El gran formato de la obra obligó al artista a captar una imagen monumental y solemne, que por causa de la gran distancia con que habría de ser contemplada aligeraría la impresión de potente volumetría que transmite cuando se la contempla de cerca. Para evitar la sensación de inmovilidad, Murillo agitó el vestuario, haciendo ondular el manto azul en el espacio y moviendo la disposición corporal de la figura de la Virgen, al igual que la de los cuatro ángeles niños que se mueven en su torno.

En adelante Murillo pintó numerosas Inmaculadas a lo largo de su carrera artística, utilizando modelos que se fueron estilizando progresivamente; aunque siempre son diferenciadas, presentan una uniformidad común en torno a su expresión y movimiento de sus manos. Éstas se muestran con las palmas juntas y otras veces cruzadas, siempre a la altura del pecho.

Las más famosas Inmaculadas de Murillo se conservan en el Museo del Prado, siendo éstas la *Inmaculada de la media luna,* las llamadas *Inmaculada del Escorial* e *Inmaculada de Aranjuez* y sobre todo la *Inmaculada de los Venerables,* que es probablemente la más hermosa de cuantas realizó el artista. Procede de la iglesia de los Venerables de Sevilla y debió de ser ejecutada hacia 1680; por su excepcional belleza, fue presa de la codicia del mariscal Soult en 1610, quien se la llevó a París para su colección particular, siendo vendida por sus herederos y alcanzando la cifra más alta que hasta entonces se había pagado por cuadro alguno. Fue adquirida por el gobierno francés y más tarde devuelta a España, aunque no regresó a su emplazamiento original, sino que se quedó en el Museo del Prado.

Pinturas costumbristas. Como ya la describiera Cervantes en su «novela ejemplar» *Rinconete y Cortadillo,* Sevilla era una ciudad de desbordante vida popular en la que dominaba una enorme masa de maleantes, rufianes, pícaros y mendigos. A partir de la fecha de 1600, en torno a la cual Cervantes escribió su famoso relato, las condiciones económicas de Sevilla comenzaron a empeorar de tal modo que en época de Murillo este

tipo de población marginal había aumentado notablemente, teniendo que vivir en condiciones extremada-
mente difíciles.

Estas características se intensificaron a partir de la
peste de 1649, que arruinó en poco tiempo a la población sevillana, reduciéndola también a casi la mitad de
sus habitantes. Por ello fueron muchos los niños que
quedaron huérfanos y sin recursos, sin otro patrimonio
que su ingenio, habilidad y astucia para sobrevivir a
diario en las calles de la ciudad. Estos niños pícaros
llamaron especialmente la atención de Murillo, quien
los captó en sus juegos y diversiones, comiendo, be-
biendo y jugando, disfrutando, en suma, de las cestas
repletas de frutas y de pan que seguramente habían ro-
bado. Son unos niños que se mueven en medio de la
adversidad de los tiempos, pero que la superan merced
a una vitalidad extraordinaria que les hace vivir con
desenfado, sonreír con desparpajo y disfrutar, despreocupados, de las agradables pequeñeces de la vida cotidiana.

Estas pinturas que representan niños callejeros han
gozado siempre por parte del público de una especial
predilección, habiéndole proporcionado al artista gran
parte de su fama. Hemos visto ya cómo en las pinturas
de tema religioso era muy frecuente la presencia de la
figura infantil y cómo ésta contribuía a crear un sentido de familiaridad cotidiana que llenaba de esponta-
neidad y ternura el contenido de las pinturas. En este
sentido, el gran acierto de las pinturas de Murillo fue
llegar a concebir representaciones pictóricas con tema
infantil de carácter profano, consiguiendo así crear un
repertorio de imágenes de gran originalidad dentro de
la pintura barroca de su época. En la propia España,

en Italia y en Flandes, se habían realizado composiciones pictóricas protagonizadas por gentes de condición popular y presencia infantil, pero Murillo supo dar a estas obras un estilo totalmente original que le diferencia claramente de otros pintores nacionales y extranjeros.

No es extraño por ello que en propia vida del artista este tipo de pinturas tuviera ya una gran aceptación de mercado y que fueran sobre todo extranjeros residentes en Sevilla los que compraron directamente estas obras al pintor. Por esta causa, la mayor parte de ellas salieron muy pronto de España, hasta el punto de que a los pocos años de morir Murillo eran escasas las que se conservaban en Sevilla, y actualmente ninguna de ellas se encuentra en nuestro país. Las pocas que quedaron en el siglo XVIII fueron compradas de inmediato por coleccionistas europeos que rápidamente agotaron los originales, lo que motivó que en Sevilla comenzasen a ejecutarse por parte de hábiles pintores numerosas copias e imitaciones, algunas de muy buena calidad, que terminaron vendiéndose como obras auténticas.

Murillo realizó este tipo de pinturas a lo largo de toda su carrera artística; en este sentido puede afirmarse que la primera obra de estas características que conocemos actualmente es el *Niño espulgándose* del Museo del Louvre, cuya realización puede situarse entre 1645 y 1650. Describe esta obra a un muchacho que se ha refugiado en el interior de un edificio abandonado para buscarse las pulgas que se han instalado entre sus ropas y que le mortifican con sus picaduras. El ambiente solitario que refleja la pintura y el contraste de luces y sombras que el artista ha recreado en ese destartalado interior, promueven la creación de una atmósfera melancólica y triste que evidencia claramente las circunstancias de pobreza y miseria que vivía Sevilla en el momento en que el cuadro fue pintado. Sin embargo, hay que señalar que este pesimismo existencial fue pronto abandonado por Murillo para describir en fechas sucesivas a muchachos que ríen, comen y juegan en situaciones que invitan a la alegría y al optimismo.

Contenido similar al de la pintura anterior muestra la representación de *La abuela despiojando a su nieto* que se conserva en la Alte Pinakothek de Munich. En esta ocasión la escena se desarrolla en un ambiente hogareño y por lo tanto está desprovista de la melancolía anteriormente señalada, a pesar de advertirse un nivel social de humilde condición. La abuela se dedica con intensa atención al mencionado menester y tiene en su regazo la cabeza del niño; esta operación, que había de realizarse con frecuencia, era absolutamente normal en aquella época, en la que estos molestos inquilinos habitaban en personas de toda condición social, pero lógicamente con más profusión en las clases más bajas. Con respecto a la relación de los niños con estos insectos, es probable que este tipo de pinturas obedezca al sentido de algún refrán o frase hecha de la época que indicaban: «Niño enfermo no cría piojos» o «Niño con piojos, sano y hermoso», señalando que la posesión de los mismos era indicativo de buena salud.

La alegría y el optimismo en temas infantiles de Murillo aparecen en pinturas como *Niños comiendo melones y uvas,* obra que también pertenece al mismo museo que las dos anteriores, en la que la escena tiene lugar en campo abierto, en un paraje que se adivina próximo a la ciudad donde los niños, de humilde condición pero de saludable aspecto, se disponen a dar buena cuenta de un botín de frutas que probablemente han hurtado en los campos cercanos y que les servirán para mitigar el hambre de forma pasajera. Esta escena parece estar sucediendo en la estación otoñal, dadas las características de las frutas que componen su improvisado banquete.

A partir de 1660, es decir cuando la trayectoria artística de Murillo alcanza su madurez, puede advertirse cómo las representaciones infantiles de Murillo tienden progresivamente a mostrar una intensificación del optimismo vital; por ello un alegre desenfado se refleja en los *Dos niños comiendo de una tartera,* obra que pertenece igualmente a la Alte Pinakothek de Munich, donde el artista sitúa a los niños en compañía de un perro en medio de un solitario y apacible paisaje. Los muchachos muestran sus desastradas ropas y sus sucios pies, indicando así que son pícaros callejeros que han obtenido quién sabe cómo pan, frutas y una tarta de manzana que se disponen a devorar con extremado gusto. La presencia del perro que mira atento al niño que come, esperando sin duda participar en el modesto festín, contribuye a intensificar la placidez de la escena.

Hemos visto cómo la comida es una de las preocupaciones fundamentales en la vida de estos pequeños pícaros callejeros; pero otra de sus aficiones, recogida también por Murillo, es la del juego, y así vemos que, después de haber obtenido merced a su habilidad y astucia algunas monedas, se las juegan entre ellos, despreocupados de todo aquello que pueda significar previsión y ahorro. Éste es el tema de los *Niños jugando a los dados,* que pertenece también a la Alte Pinakothek de Munich, donde, como hemos señalado, se conserva un selecto grupo de obras de este tipo realizadas por Murillo. La dedicación de este artista a la pintura costumbrista no tiene sólo a los niños como tema argumental, sino que trasciende a otros tipos de representaciones en las que aparecen personajes adultos en distintas manifestaciones derivadas de la vida cotidiana. En este sentido citaremos una interesante representación que tiene como título *Mujeres en la ventana* y que se conserva en la Galería Nacional de Washington. En esta escena se muestra a dos mujeres, una de edad madura y otra más joven, asomándose a una ventana para mirar algo divertido que está ocurriendo en la calle; la joven sonríe complaciente, mientras que la mujer mayor disimula su risa cubriéndose la boca con el borde de su toca. La circunstancia que protagonizan ambas mujeres nos permite suponer que las dos practican una vida disipada y que por lo tanto son cortesanas, ya que en el siglo XVII una mujer de honesta reputación jamás se asomaba directamente a la calle, y en caso de hacerlo lo realizaba disimuladamente, mirando a través de una celosía o de unos cortinajes.

Retratos. La sociedad sevillana del siglo XVII no fue muy proclive a retratarse, por lo que no son muchas las efigies pintadas que poseemos de esta época. Por ello Murillo tiene una nómina bastante escasa de obras de esta modalidad, dándose además la circunstancia de que todos los conservados son retratos masculinos; hay constancia de retratos femeninos realizados por el artista, pero de éstos ninguno ha llegado hasta nuestros días. De estos retratos masculinos, la mayoría están dedicados a mostrar la presencia de personajes nobiliarios y, en algunos casos, de comerciantes y banqueros. Muy importante es advertir también que Murillo tuvo el suficiente aprecio de sí mismo como para autorretratarse, y por ello es uno de los pocos pintores españoles de época barroca cuya fisonomía nos es conocida. La imagen de Murillo ha llegado a nuestros días en dos versiones; la primera de ellas pertenece a su juventud, puesto que por la edad que muestra su semblante parece tener una edad en torno a los treinta años. Este *Autorretrato juvenil* pertenece a una colección particular de los Estados Unidos y en él se refleja un semblante pleno de vitalidad e inteligencia. El segundo *Autorretrato* de Murillo pertenece a la Galería Nacional de Londres y está realizado hacia 1670, ya en los momentos finales de su vida; en él hay una inscripción que nos indica que se ha autorretratado para que sus hijos tuviesen un recuerdo suyo. En esta imagen se advierten ya las consecuencias del paso del tiempo, que se traducen en un semblante más grave, aunque sigue reflejando una grandeza de ánimo y una serenidad propias de quien está en paz consigo mismo y se siente orgulloso de su condición de artista.

En los retratos de aristócratas el modelo suele presentarse de cuerpo entero, en pie, mostrando una actitud corporal que traduce aplomo y seguridad; normalmente llevan el sombrero en una de sus manos, y su perfil se recorta sobre un fondo de penumbra que en ocasiones se rompe lateralmente con la aparición de un cortinaje y leves detalles arquitectónicos, como una balaustrada y una columna. A esta tipología corresponde el retrato de *Don Diego de Esquivel* del Museo de Denver y el de *Don Andrés de Andrade* del Museo Metropolitano de Nueva York.

El interesante retrato de *Don Antonio Hurtado de Salcedo,* obra que pertenece a la colección Verasategui de Vitoria, carece de los convencionalismos antes citados. Este personaje tuvo el título de marqués de Legarda y desempeñó el cargo de secretario de Felipe IV. Su retrato está captado al aire libre, en el campo, y además aparece vestido de cazador. Le acompañan un criado y varios perros, describiendo entre todos una escena de carácter costumbrista donde los detalles de las figuras y los pormenores del paisaje se aúnan en una visión retratística totalmente inédita en la producción de Murillo.

También presenta originalidad y disposición novedosa dentro de los retratos de Murillo el de *Don Justino de Neve,* actualmente en propiedad particular en Inglaterra. La disposición de este personaje se ajusta a la tradición del retrato de eclesiásticos en España, puesto que aparece sentado junto a una mesa, con semblante digno y grave, propio de su condición. Don Justino de Neve fue canónigo de la catedral de Sevilla y fundador del Hospital de Venerables Sacerdotes de esta ciudad, institución a la que regaló importantes obras de Murillo, con el cual le unieron profundos lazos de amistad.

Completamos el comentario de los retratos de Murillo con la mención de dos obras que presentan modelos de medio cuerpo y que pertenecen a personas vinculadas al ambiente comercial sevillano. La primera de ellas está firmada en 1670 y efigia a *Joshua van Belle,* obra que se conserva en la Galería Nacional de Dublín. Este personaje, holandés de nacimiento, que se dedicaba en Sevilla al comercio marítimo, fue retratado por Murillo con una elegancia propia de la estética holandesa, es decir matizada por la sobriedad y la mesura. El segundo retrato pertenece también a un extranjero dedicado en Sevilla a actividades comerciales; en este caso se trata del flamenco *Nicolás Omazur,* hombre de selecta condición, amante de la poesía y del arte, que poseyó una extensa y valiosa colección de pinturas, entre las que destacaban numerosas obras de Murillo, que fue su amigo. Este retrato, realizado en 1672, nos muestra a Omazur inscrito en un óvalo, mirando fijamente al espectador y sosteniendo una calavera en sus manos. La aparición de este símbolo de la muerte está vinculada a la tradición del retrato flamenco, donde servía como evidente indicativo del fin de la vida humana, pero también como emblema de la resurrección. Formaba pareja este retrato de Omazur, que pertenece al Museo del Prado, con el de su esposa, *Doña Isabel de Malcampo,* que desgraciadamente se ha perdido.

7. MURILLO EN LA HISTORIA: OSCILACIONES DE SU FAMA

La fama de los artistas es siempre oscilante, tanto en vida como después de su muerte; sin embargo, en el caso de Murillo es posible percibir cómo a lo largo de su existencia fue forjando un creciente prestigio que le convirtió en el pintor más importante de Sevilla y al mismo tiempo en uno de los más renombrados de España. Así, es posible advertir que, cuando Murillo alcanzó su madurez, sus contemporáneos le llenaron de halagos y ensalzaron sus obras como salidas de su «insigne pincel». No faltó quien le denominó «Apeles sevillano» y quien consideró su pincel como de origen celestial. Algunos intelectuales sevillanos fueron también conscientes de que vivía entre ellos un artista de condición superior y le brindaron los más encendidos elogios. No nos ha de extrañar por ello que su renombre trascendiese desde Sevilla hasta Madrid y por lo tanto que sus obras fueran conocidas y apreciadas en la Corte. Sin embargo, se da el caso curioso de que en 1700, cuando se realiza el inventario de las colecciones reales españolas, en él no figura ningún cuadro de Murillo, dato que revela que el rey Carlos II no llegó a adquirir ningún cuadro suyo.

Por el contrario, en Sevilla y en vida del propio artista se dio la circunstancia de que muchas de sus obras fueron adquiridas por extranjeros que las consideraban excepcionales y llevadas a países europeos, motivo por el cual su fama se extendió fuera de nuestras fronteras. Así, Fernando de Torres Farfán, escritor sevillano y amigo de Murillo, afirmó que su nombre «se ha hecho conocer en los confines de Europa más que en su propia patria». También Palomino señaló que «hoy día fuera de España se estima más un cuadro de Murillo que uno de Tiziano y Van Dyck». La difusión de su fama como pintor llevó a que su biografía fuese incluida en un libro publicado por Joaquín Sandrat en 1683, justo un año después de su muerte. Aunque esta biografía está repleta de errores, constituye un testimonio del prestigio alcanzado en vida por Murillo fuera de España.

En el siglo xviii, el gusto por el refinamiento y la delicadeza que impuso el estilo rococó coincidieron en gran medida con el espíritu que emana de las obras de Murillo. En principio puede advertirse cómo en España los primeros monarcas Borbones, Felipe V e Isabel de Farnesio, sintieron una intensa afición por las obras de Murillo y, por ello, aprovechando la estancia de la Corte en Sevilla, la reina doña Isabel adquirió un elevado número de obras del artista, que actualmente se encuentran en el Museo del Prado. El interés coleccionista por las obras de Murillo aumentó de forma muy considerable en el siglo XVIII, de tal manera que coleccionistas ingleses, franceses y alemanes se beneficiaron de la debilidad de la economía hispana para conseguir pinturas de este artista en Sevilla, que inmediatamente sacaban de nuestro país.

El triunfo de Murillo dentro del gusto coleccionista en el citado siglo contribuyó a extender notablemente su fama, pero también a menguar el patrimonio español de obras de este artista. Por ello hubo que habilitar medidas que impidiesen su exportación y detener la permanente pérdida de las obras de un artista cuyo valor estaba continuamente en alza. Así en 1779, durante el reinado de Carlos III, el ministro Floridablanca dio una orden para que en Sevilla no se vendiesen obras de Murillo a compradores extranjeros, instándose a los que desearan enajenar alguna pintura suya a hacerlo directamente a la corona española. La afición por obtener obras de Murillo siguió manteniéndose en época de Carlos IV, quien incrementó el número de obras suyas en la colección real, adquiriéndolas a particulares. En época de este monarca se buscó un pretexto para obtener de forma gratuita la excepcional colección de obras de Murillo que figuraba en el Hospital de la Santa Caridad de Sevilla; la excusa para convencer a dicha institución a fin de que donase las pinturas a la corona consistía en que irían a formar parte del Museo Real que se quería crear en el Palacio Real de

Madrid. A tal efecto y para que la iglesia no quedase desprovista del mensaje que contenían las pinturas, se ordenó que se hicieran copias de los originales de Murillo para que quedasen en la iglesia de la Caridad, mientras que los originales pasaban al dicho Palacio. Pero la Hermandad sevillana se resistió fuertemente a esta disposición de la Corona, siendo tan decidida su actitud de no ceder las obras que finalmente desde Madrid se renunció a este proyecto.

En el siglo xix las vicisitudes históricas se tradujeron en sucesivas y graves pérdidas del patrimonio español de obras de Murillo. El primer gran golpe se recibió en 1810, durante la invasión napoleónica en Sevilla; el jefe de las tropas francesas, el mariscal Soult, tenía, aparte de sus grandes dotes de estratega, una marcada afición por la pintura y, favorecido por su privilegiada posición de fuerza, se dedicó a saquear la ciudad de Sevilla de obras pictóricas bajo el pretexto de formar un museo napoleónico. Llegó a requisar más de mil pinturas que almacenó en el Alcázar de esta ciudad, entre las cuales figuraban todas las obras de Murillo que adornaban el convento de San Francisco, del Hospital de los Venerables, iglesia de Santa María de la Blanca, iglesia de la Santa Caridad y algunos de la catedral. Se salvó de esta rapiña, como ya hemos señalado, el conjunto de obras de Murillo que había en la iglesia de los Capuchinos, gracias a que los frailes, conocedores de la rapacidad de Soult, los habían trasladado a Gibraltar antes de que el codicioso general llegase a Sevilla.

Este expolio artístico, realizado por una nación civilizada como Francia, alcanzó niveles de máxima desvergüenza cuando Soult no sólo se apropió de obras de arte con destino al pretendido museo napoleónico, sino que lo hizo para enriquecer su propio patrimonio. Por ello, al final de la Guerra de la Independencia, pudo sacar de España y llevar a su país un copioso número de pinturas, entre las que figuraba un espléndido conjunto de obras de Murillo, que a su muerte fueron vendidas por sus herederos. La actitud de Soult fue imitada por numerosos altos oficiales franceses, que se dedicaron igualmente a practicar el despojo artístico.

Las circunstancias de la Guerra de la Independencia no fueron más que el primer eslabón de una cadena que fue alargándose continuamente en el curso del siglo XIX. En efecto, cuando en 1835 se dieron las nefastas circunstancias de la Desamortización de Mendizábal, se produjo el paso de las obras de arte que la Iglesia atesoraba a manos del Estado. Pero esta situación de tránsito fue aprovechada por numerosos desaprensivos que tenían la obligación de custodiar el patrimonio artístico para apropiarse de numerosas obras y venderlas por cuenta propia en su beneficio. Esta situación favoreció la venida a España de compradores de obras de arte, como lo fue el barón Taylor, quien, provisto de una enorme suma de dinero, actuó como representante del rey de Francia, Luis Felipe de Orleans, el cual creó en 1838 en el palacio del Louvre una Galería de Pintura Española, que contó con numerosas obras de Murillo. El aprecio por las obras de este artista en Francia le convirtió en el pintor más cotizado hasta entonces en la historia, ya que cuando en 1852 se vendió en subasta pública la *Inmaculada de los Venerables,* obra que el mariscal Soult había sustraído en Sevilla y que fue vendida por sus herederos, alcanzó el precio de 615.300 francos, el más alto que nunca se había pagado hasta entonces por una obra de arte.

Esta fecha, 1852, fue el punto culminante de la fama de Murillo, cuyas obras en este momento histórico se pagaron a precios muy elevados y además recibieron críticas artísticas de alta consideración que le definieron como un perfecto dibujante y un excelente colorista; al mismo tiempo se menciona la inigualable gracia de sus figuras y su espléndida belleza, capaz de suscitar la emoción y el sentimiento religioso como ningún otro pintor lo había hecho en la historia.

Cuando los extranjeros, especialmente los franceses, elevaron a Murillo a la categoría de genio excepcional, en España, desvalijada de gran parte de sus obras, comenzó a sublimarse lo que era ya una elevada estimación, y por ello y en muy pocos años pasó a convertirse en un personaje generalmente ensalzado que se introdujo en la literatura y en el teatro. Poetas, generalmente de escasa inspiración, versificaron en tono laudatorio la grandeza artística de Murillo, y también un historiador como Tubino se sintió movido en 1864 a realizar la primera monografía sobre el pintor. De inmediato en Sevilla, aprovechando la época en que estuvo de moda elevar monumentos conmemorativos, se colocó en la plaza del Museo un solemne estatua sobre un modesto pedestal, que al menos señalaba el homenaje que en su patria chica se tributaba a este gran artista. Tal ardor patriótico motivó que en el seno de las escuelas y academias de Bellas Artes se considerase a Murillo como el máximo pintor de la historia y, a consecuencia de ello, que a los alumnos se les obligase una y otra vez a realizar manidas y estereotipadas copias sobre originales del artista, como ejercicio para conseguir la perfección pictórica; sin embargo, lo único que se obtuvo fue el amaneramiento y la rutina representativa.

Cuando en 1882 España celebró el segundo centenario de la muerte de Murillo, su fama alcanzó el máximo punto de esplendor. En esta fecha la Real Academia de Bellas Artes de Madrid organizó un programa de solemnes actos con la intención de exaltar su memoria artística y proclamarle como el más popular de los pintores españoles. Pero aquí podemos situar el límite y la cúspide de su éxito, porque a partir de este momento su fama comenzó a declinar. Esta circunstancia puede guardar estrecha relación con la revalorización del arte de Velázquez, que por estas fechas pasó a ser considerado como el mejor pintor español. Murillo, por el contrario, comenzó a ser juzgado como un artista en exceso sensiblero y anecdótico, falto de profundidad y de trascendencia. De esta manera, se comenzó por configurar a Murillo como un pintor apto tan sólo para satisfacer devociones pías y pacatas, consideraciones que se fueron intensificando merced a la difusión de sus pinturas en estampas y recordatorios, pasando también a imprimirse sus obras en calendarios y en cajas de bombones y de dulce de membrillo. Esta profusión ilustrativa de carácter popular y de pésima calidad técnica fue devaluando lentamente la consideración de muchos intelectuales sobre la obra de Murillo, acentuándose juicios que intensificaban la banalidad de su arte. Así, en las primeras décadas de nuestro siglo se advierten los momentos más bajos de la apreciación del pintor, creándose en torno de él una serie de tópicos y convencionalismos peyorativos que han durado casi hasta nuestros días. No faltaron voces que se alzaron contra tan injusta apreciación, y por lo tanto las correspondientes valoraciones, que, sin caer en las exageraciones laudatorias del siglo XIX, colocaron a Murillo en un justo medio de su valor crítico.

En este sentido es necesario mencionar la excepcional labor realizada por el profesor don Diego Angulo, quien dedicó gran parte de su vida a estudiar la obra de este artista, realizando una copiosa nómina de artículos que culminó en 1981 con la publicación de una excelente monografía que constituye el punto de partida fundamental para el conocimiento de este gran pintor.